请你根据每组图片表达的意思组成词，然后从答案栏里找出对应的图片。

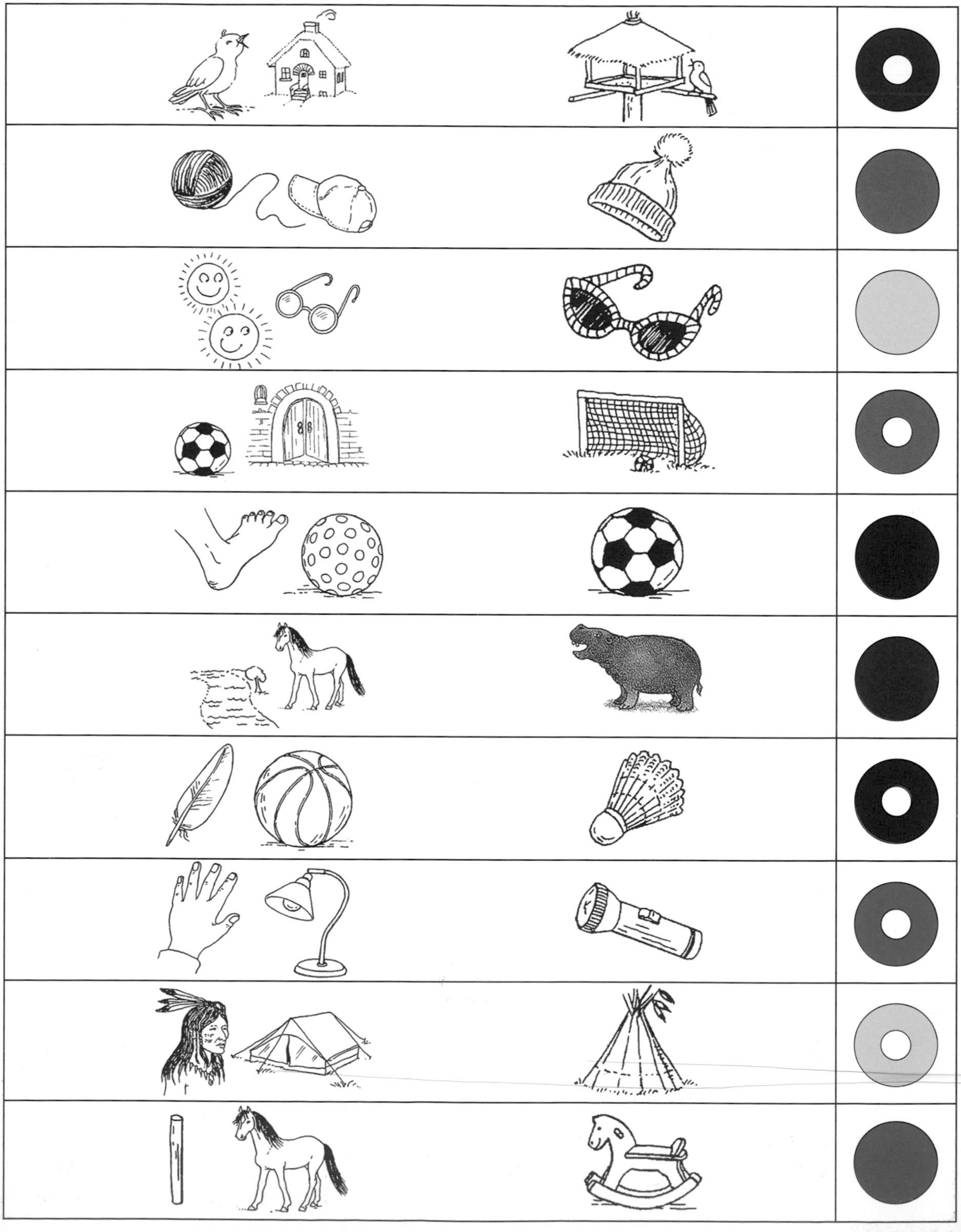

你能根据下面这些图片，从答案栏中找出与它意思相符的图片吗？

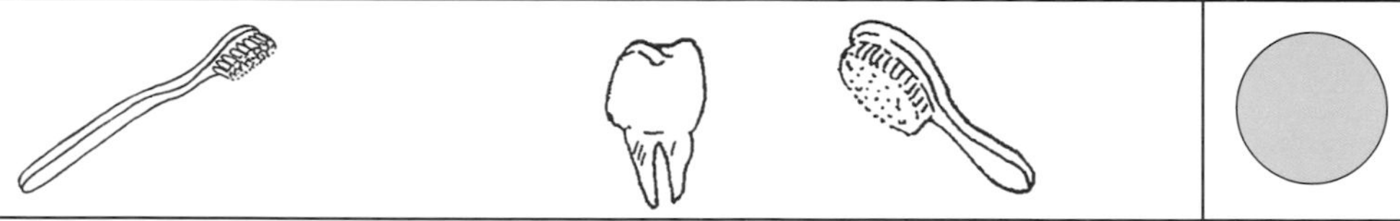

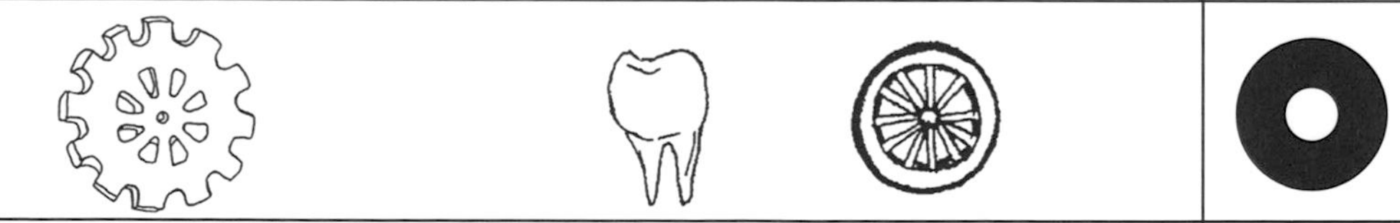

从答案栏中找出与图形相关的词语，并读一读。

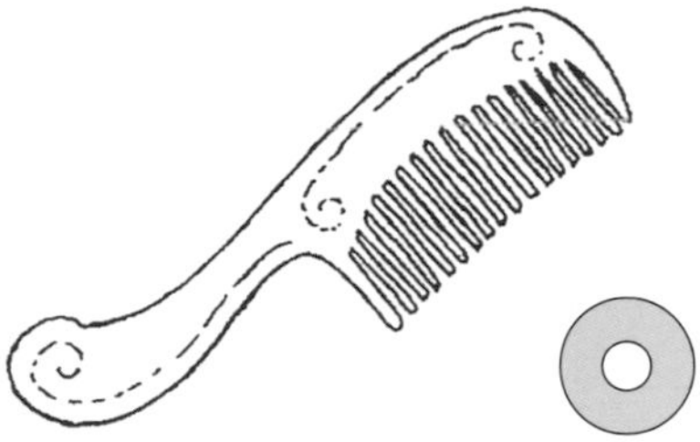
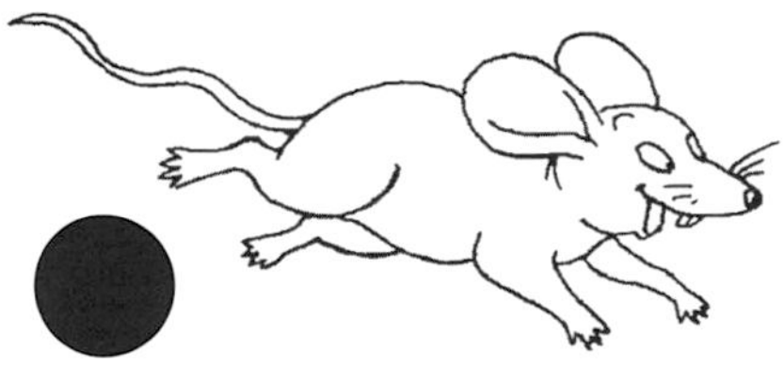

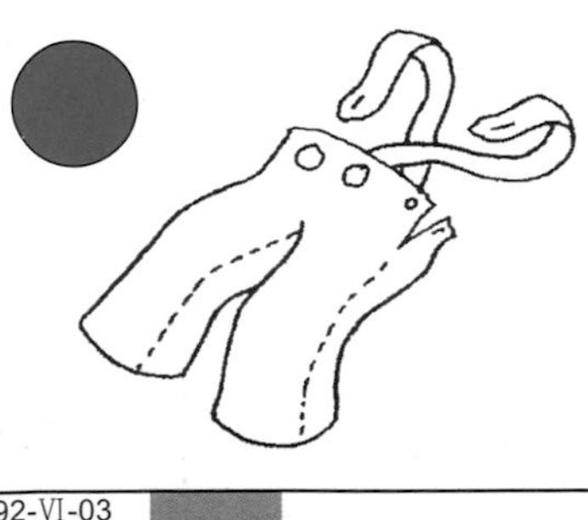

衣柜
太阳
房子
布娃娃
鱼
茶壶
辫子
裤子
梳子
老鼠

小朋友再来读一读吧！

	衣柜
	太阳
	房子
	布娃娃
	鱼
	茶壶
	辫子
	裤子
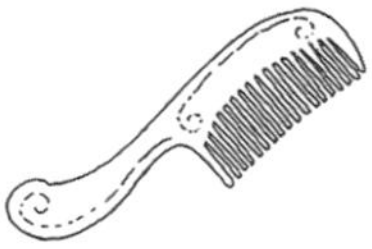	梳子
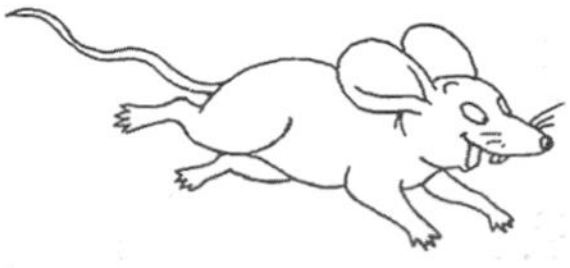	老鼠

看一看下面图片表达的意思，从答案栏中找出与它意思相反的图片来。

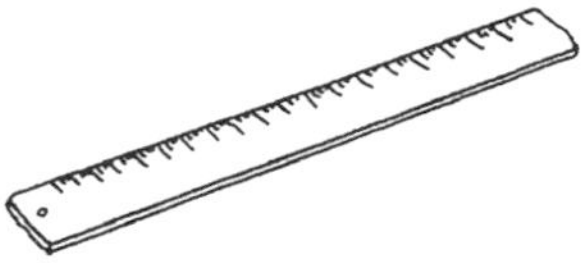 

下面每组图案中都有一样与其他不同类的东西，请你找出来。

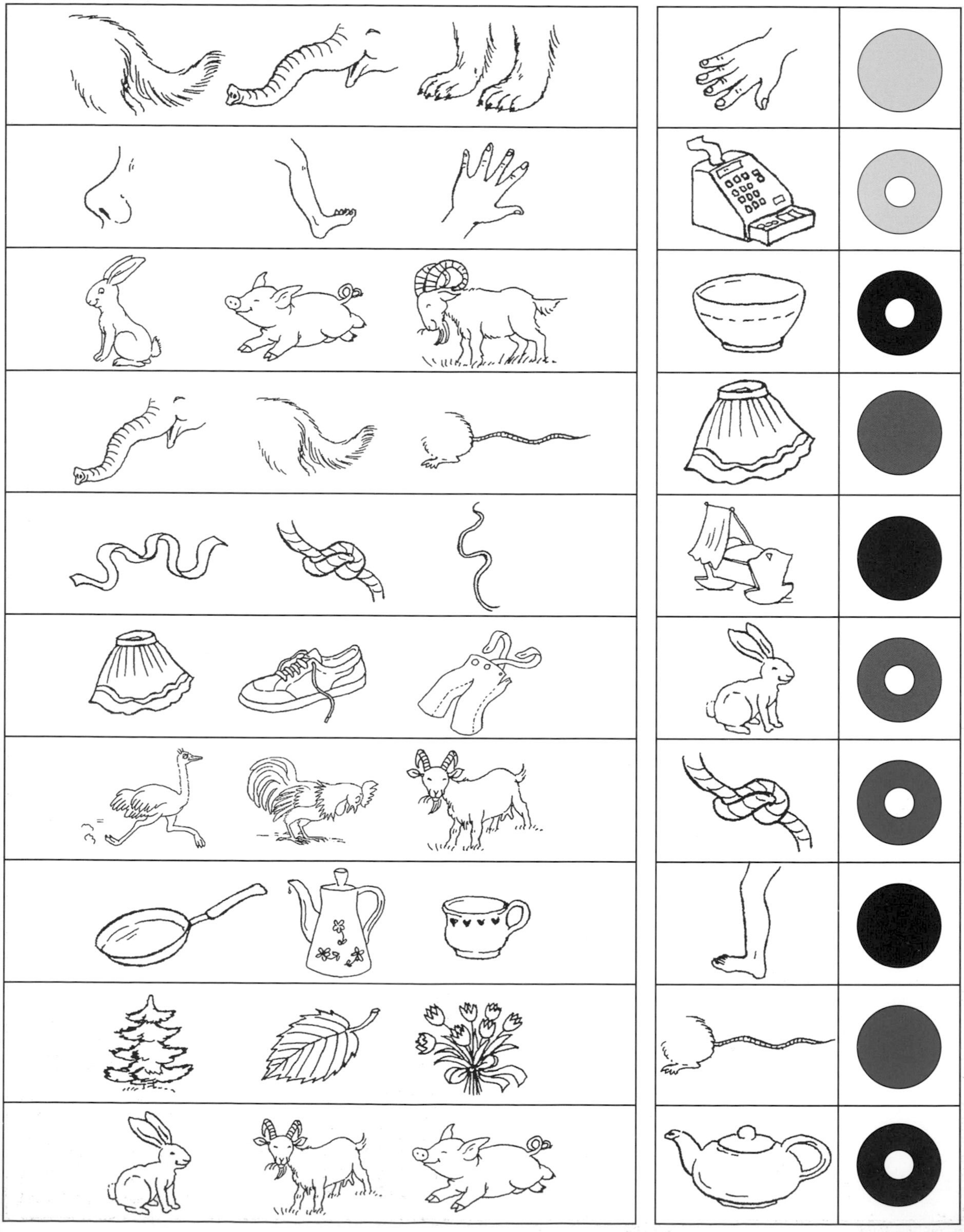

观察下图，并从答案栏中找出与它同类的图片。 **6**

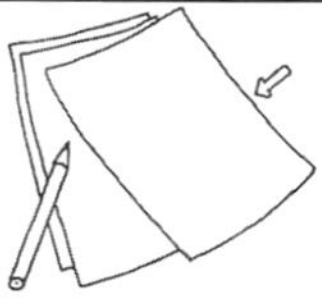 

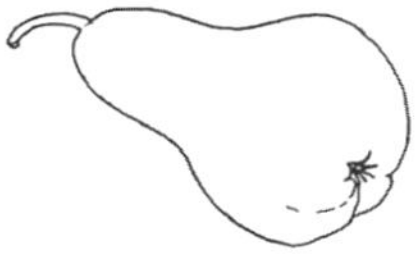 

 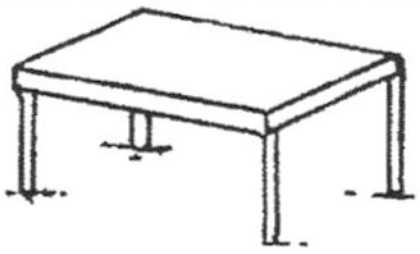

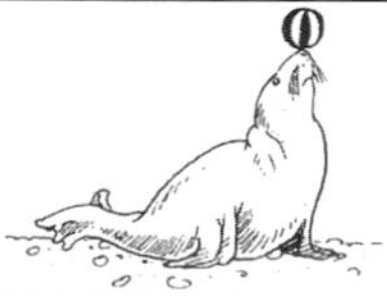 

 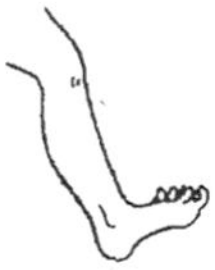

找反义词——胖的和______，______和______，……　7

年幼—— 年老……请找出其他的反义词组。 8

观察这些图案，你能从答案栏中找出相同的图片吗？

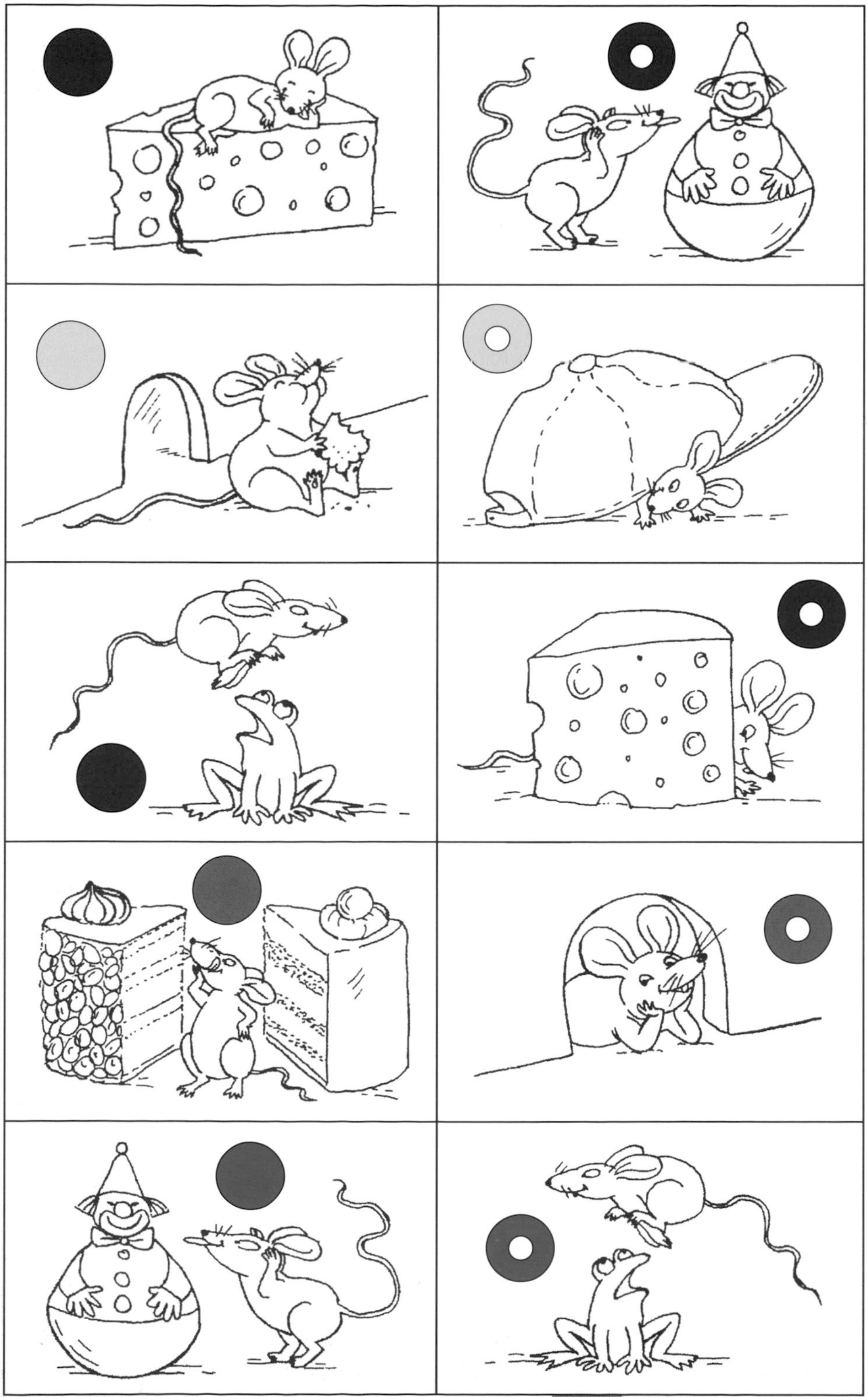

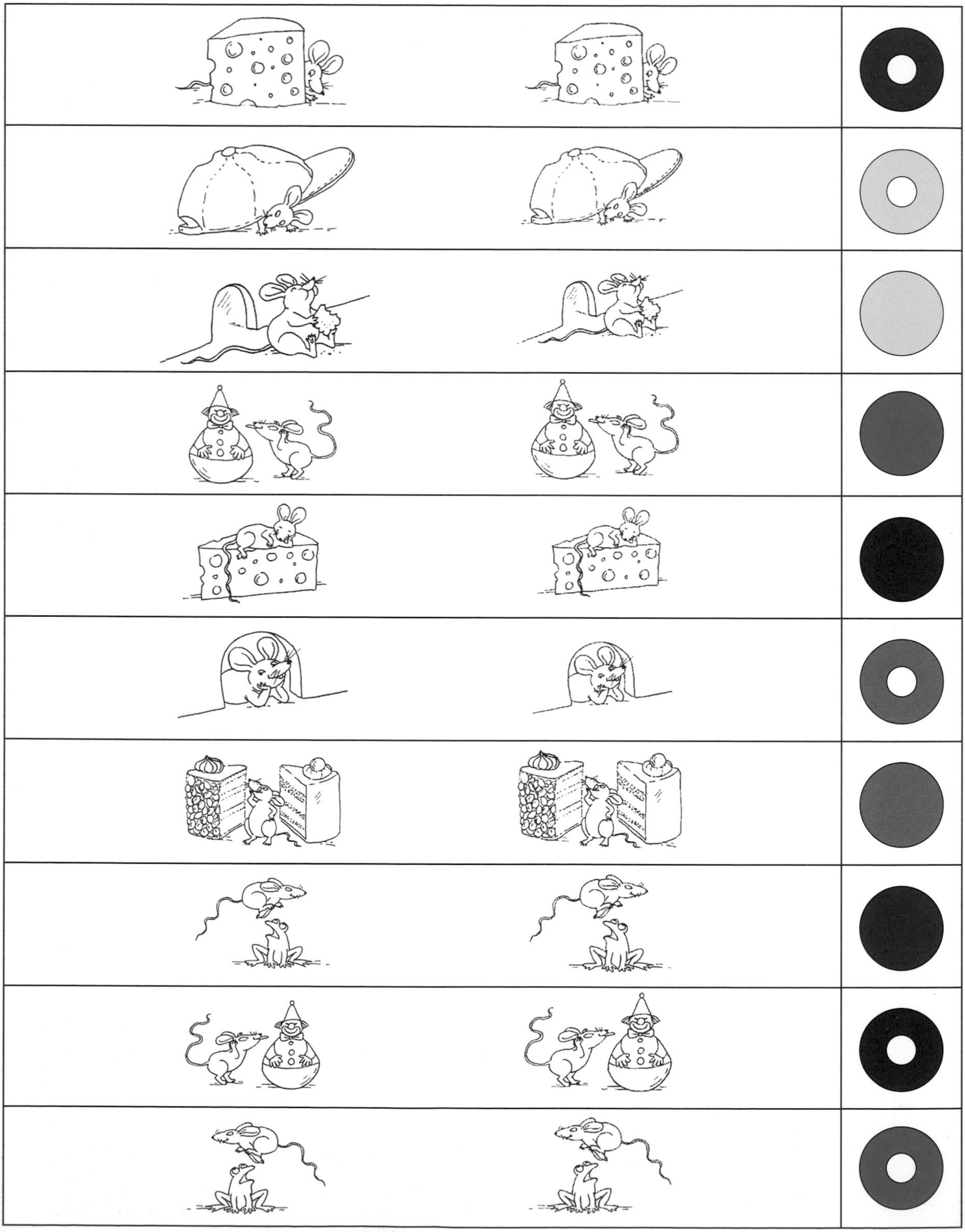

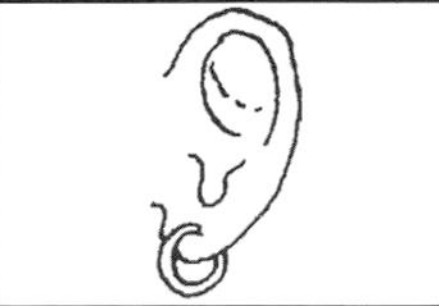
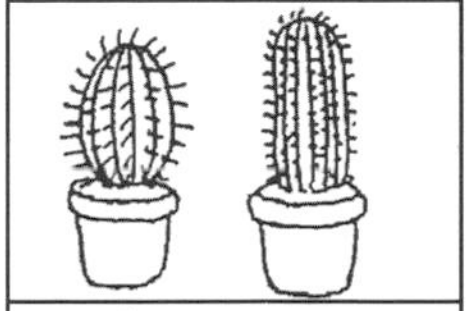

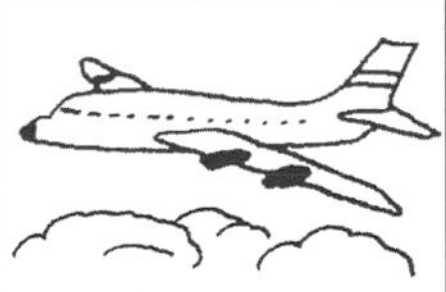

哪两张图片放在一起可以算作同类？请你从答案栏中找出来。 **11**

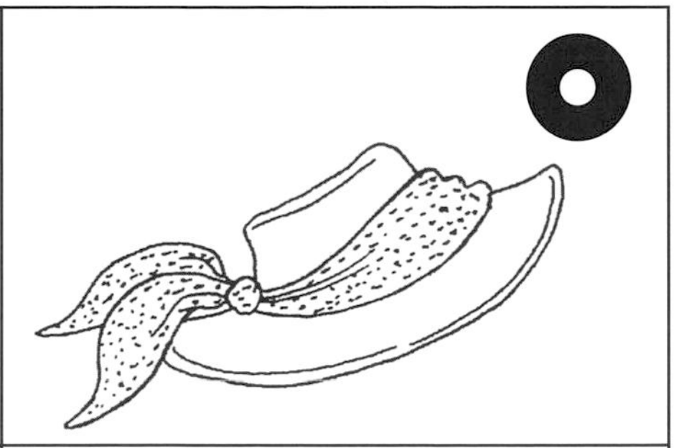

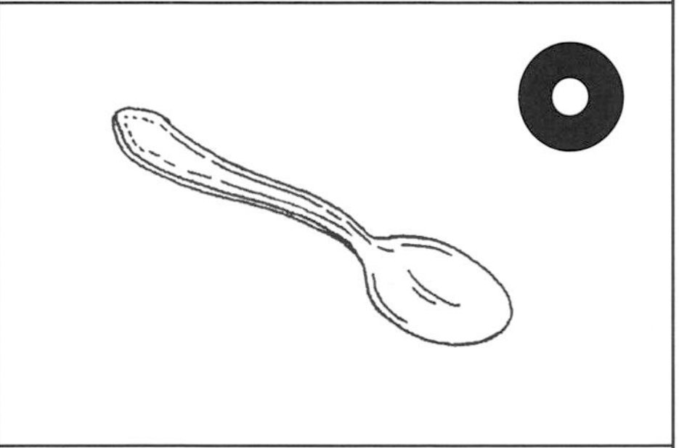

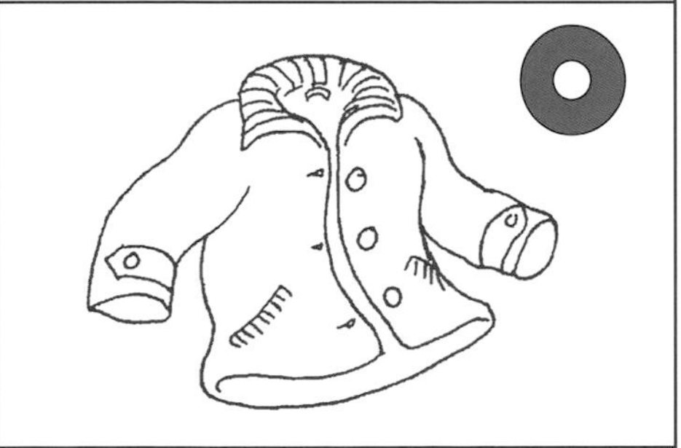

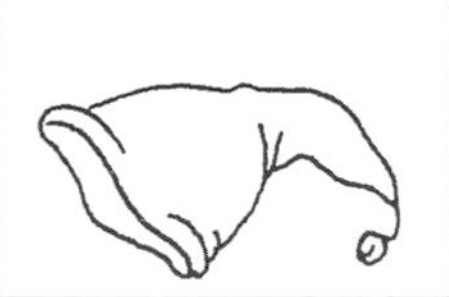
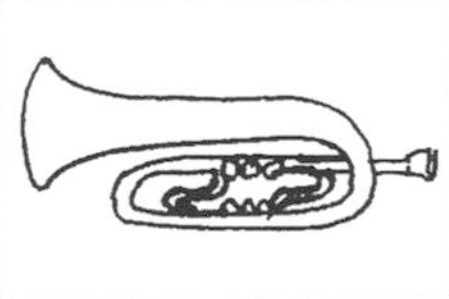
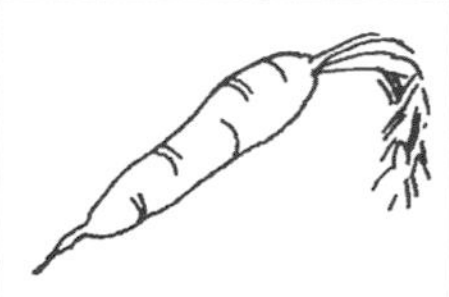

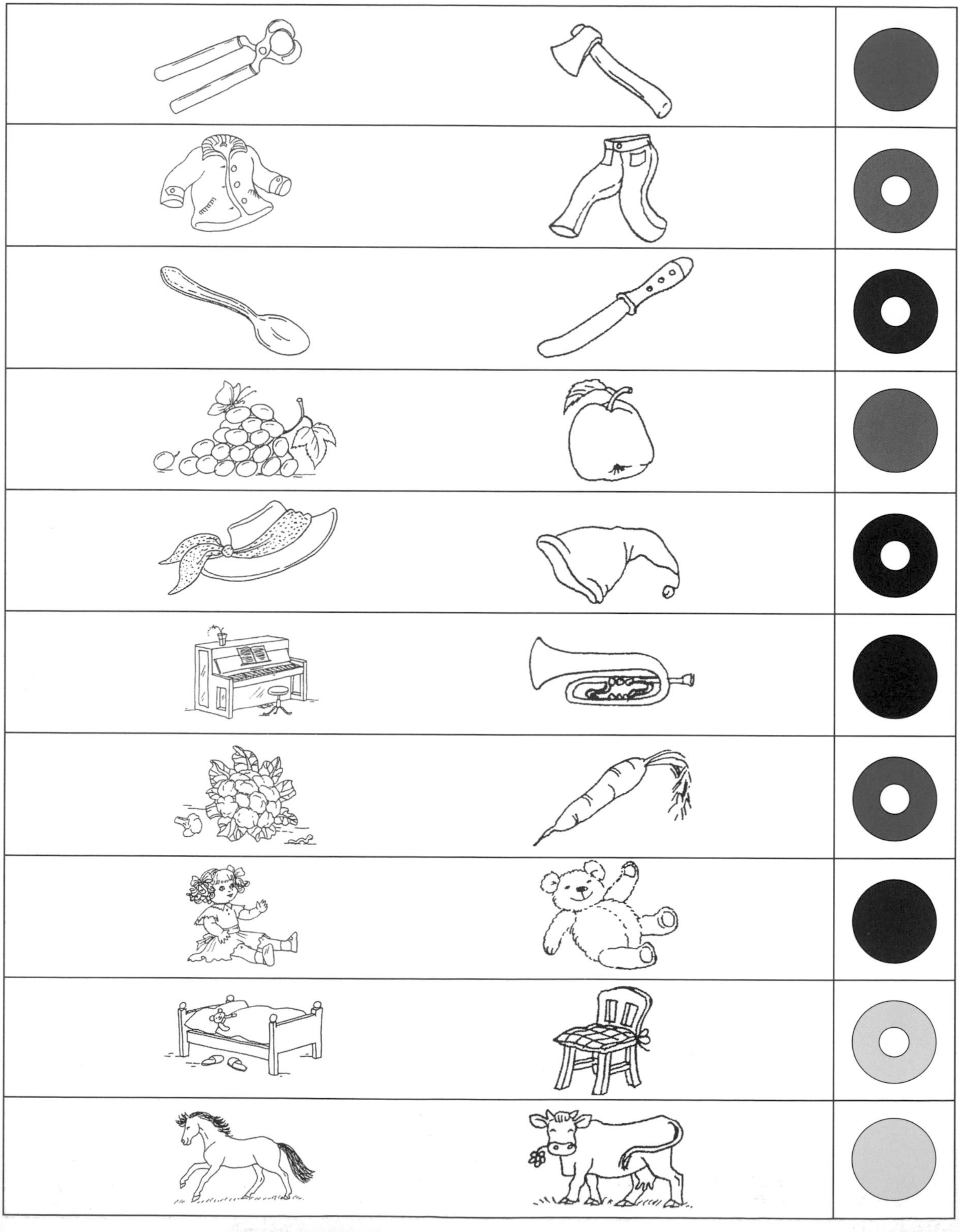

下面每组图案中都有一样与其他的不同类，请你找出来。 **12**

他们在做什么？请你从答案栏中找出相类似的图片来。

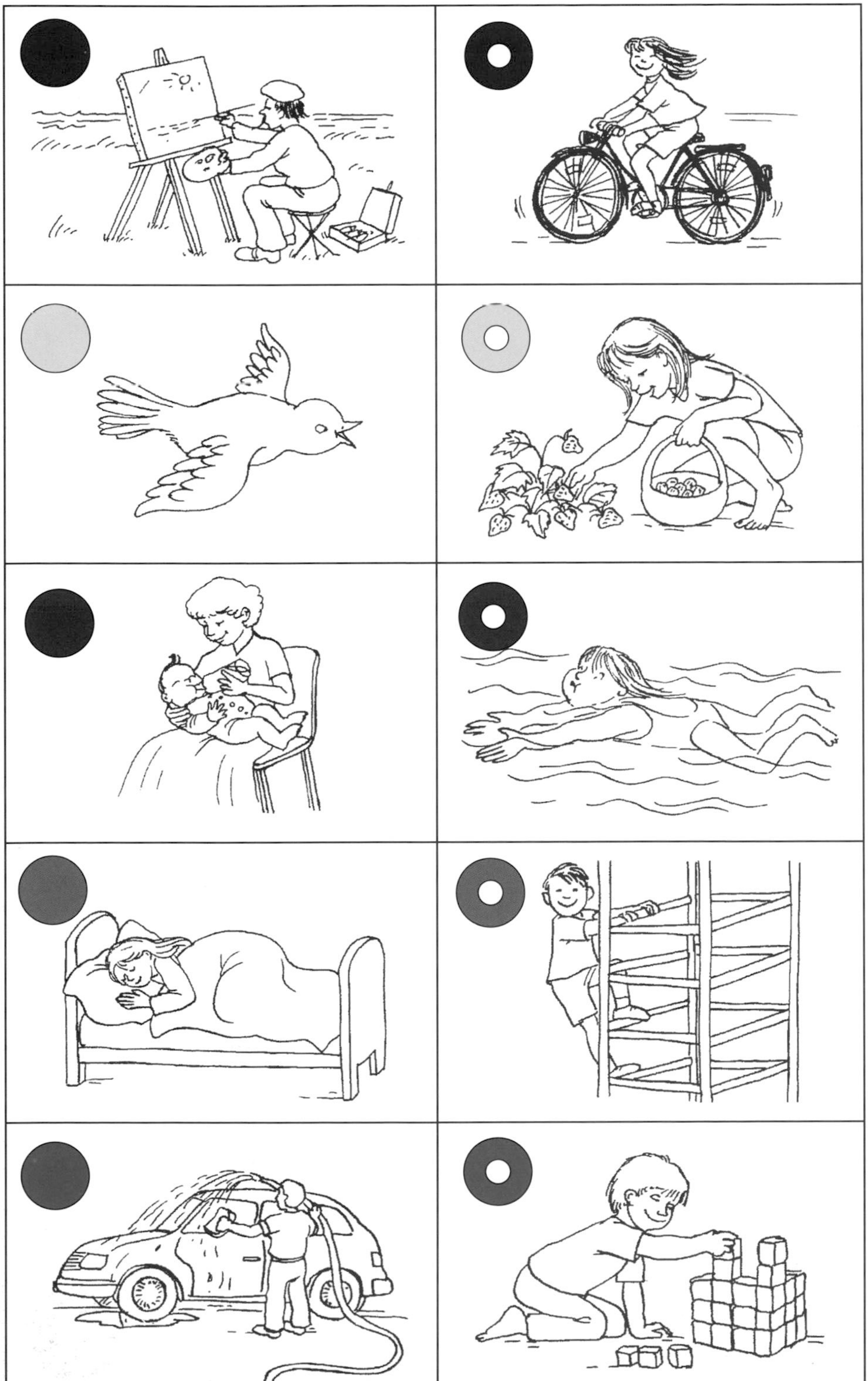

他们都在干什么？你能从答案栏中找出与他们的动作相关联的图片吗？

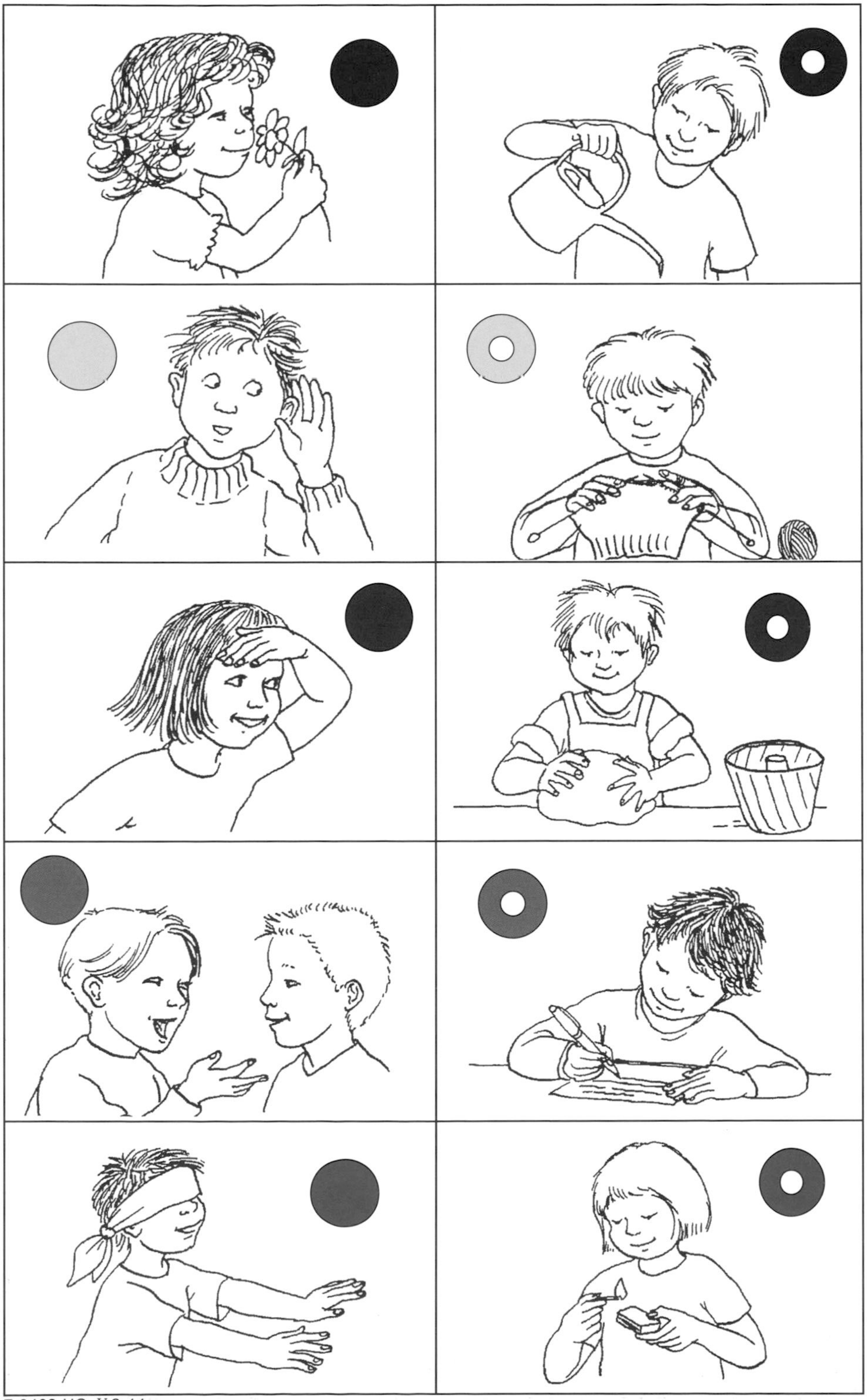

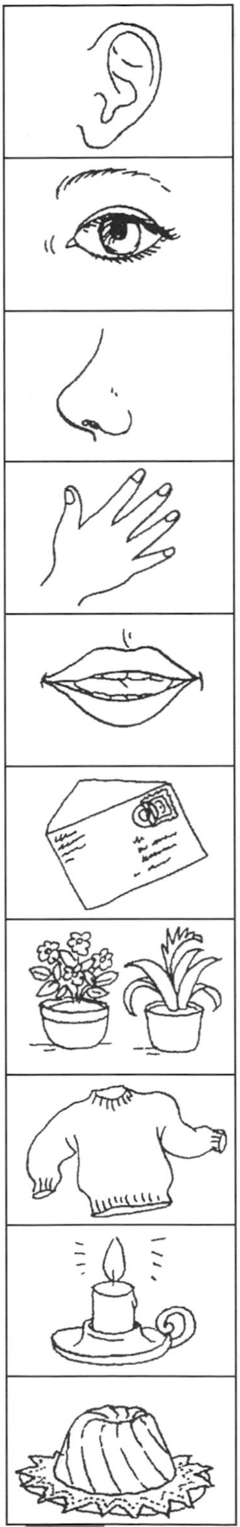

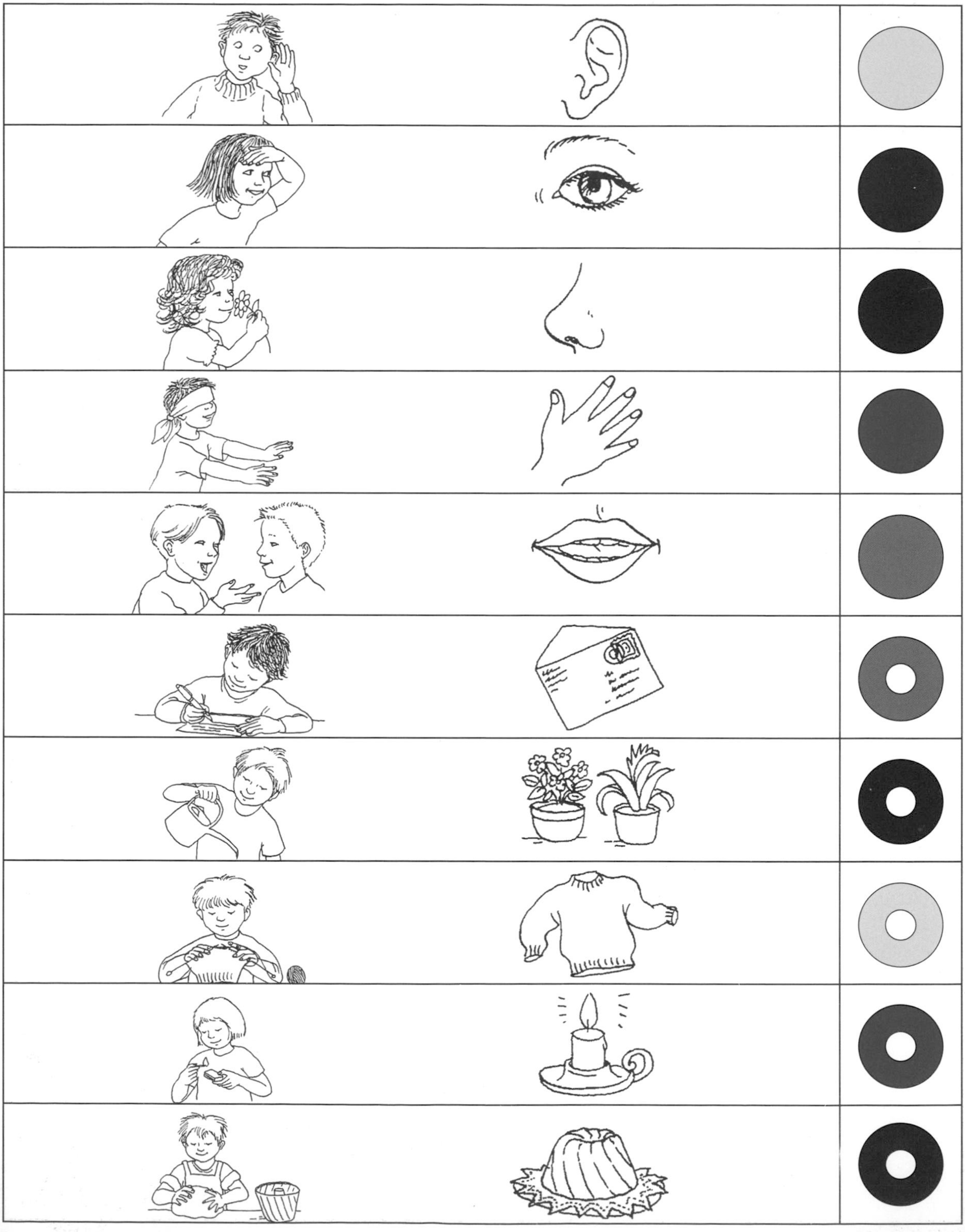

请你找出与上、下图片有关联的钟表和房子。

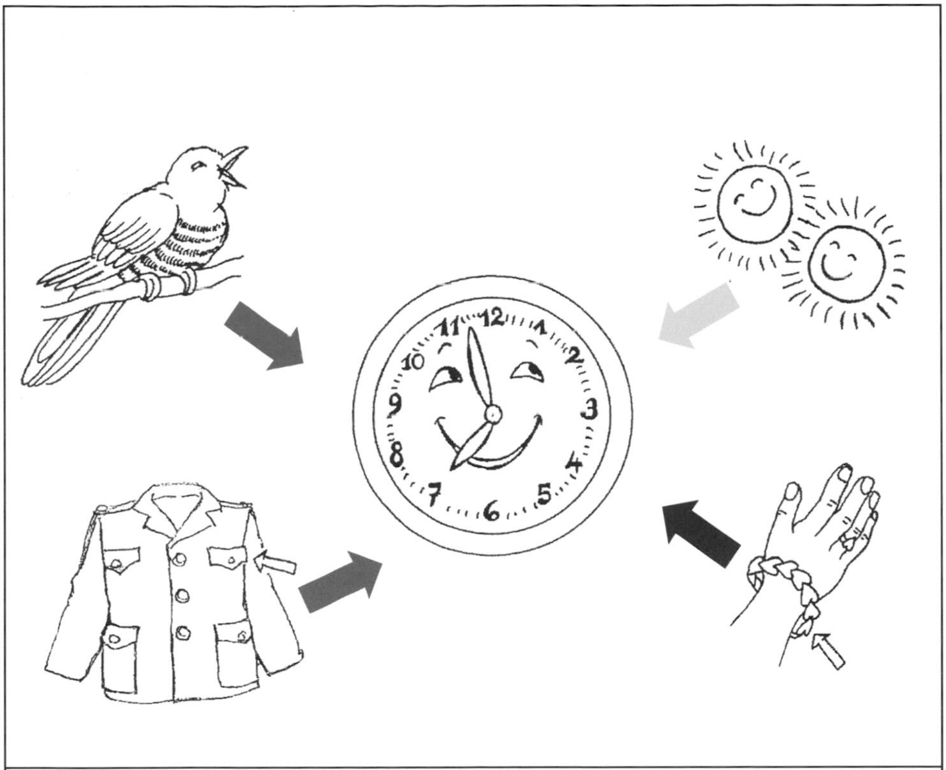

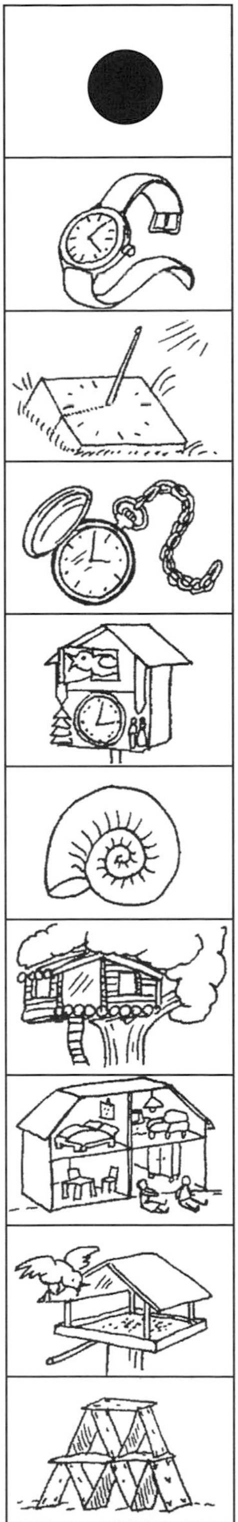

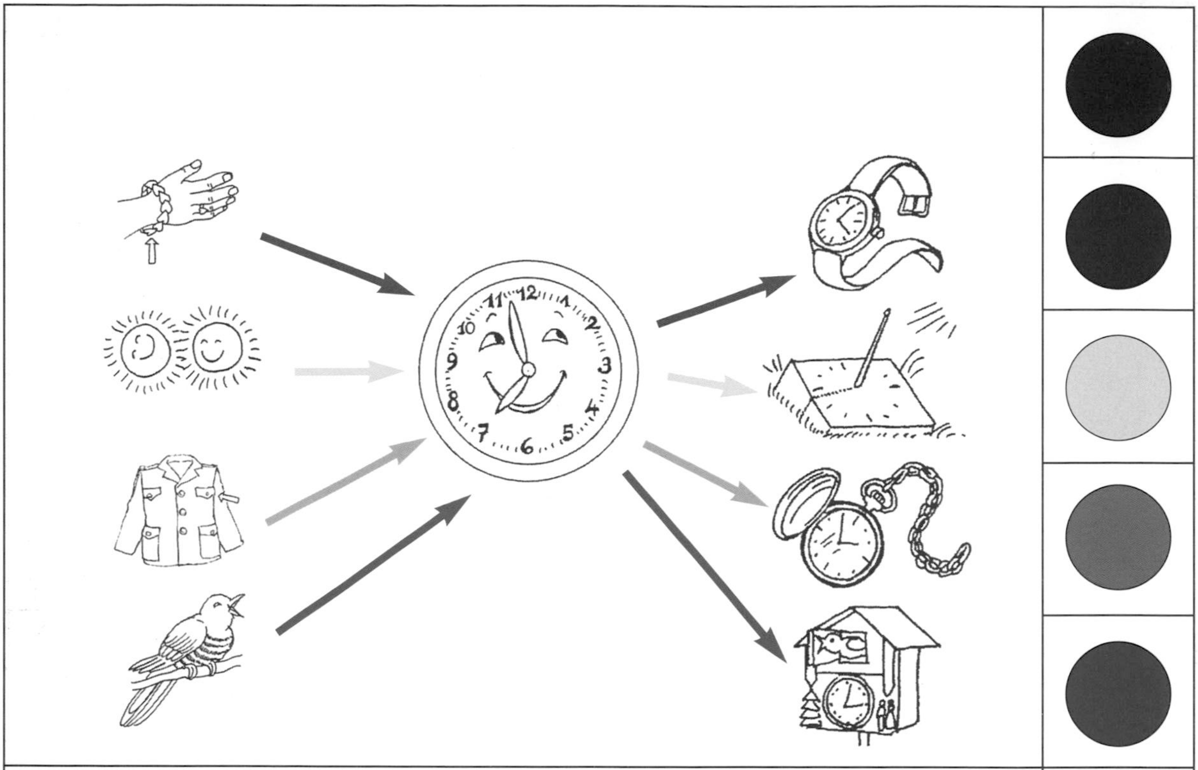

从一个 —— 多个，看看空白位置应该放答案栏中的哪张图片？

16

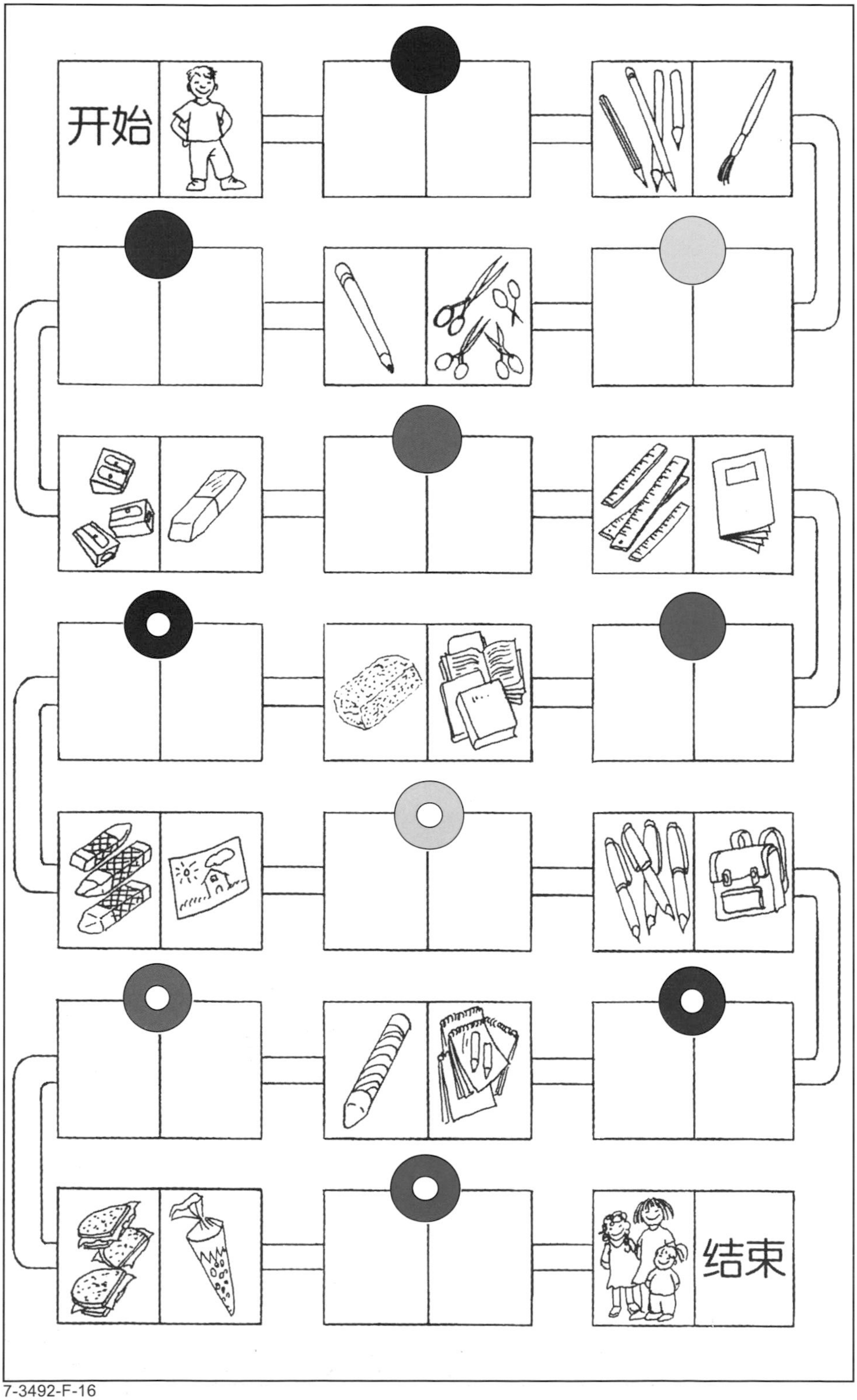

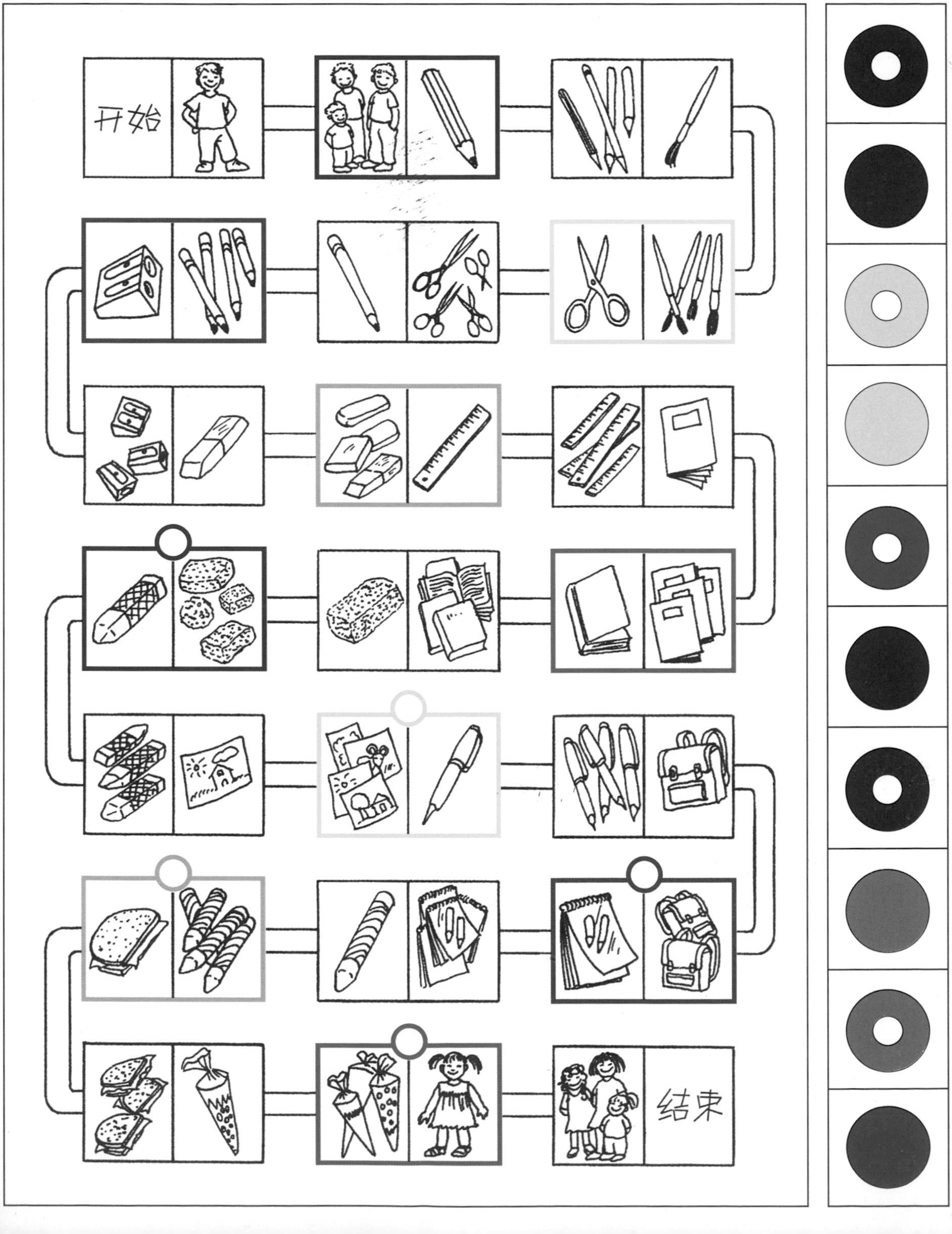
开始
结束